G000123213

Ned y Morwr

Argraffiad cyntaf: 2015

Dymuna'r cyhoeddwyr gydnabod cymorth ariannol Adran Addysg a Sgiliau (ADaS) Llywodraeth Cymru.

Ariennir yn Rhannol gan
Lywodraeth Cymru
Part Funded by
Welsh Government

Dylunio: Richard Ceri Jones

Rhif Llyfr Rhyngwladol: 978-1-78461-218-4

Cyhoeddwyd ac argraffwyd yng Nghymru
ar bapur o goedwigoedd cynaladwy gan
Y Lolfa Cyf., Talybont, Ceredigion SY24 5HE
gwefan www.ylolfa.com
e-bost ylolfa@ylolfa.com
ffôn 01970 832 304
ffacs 832 782

Cyfres Ned y Morwr

1

Ned y Morwr

Haf Llewelyn

y Lolfa

Lluniau Valériane Leblond

Ned.

Dyma Ned.
Morwr ydy Ned.

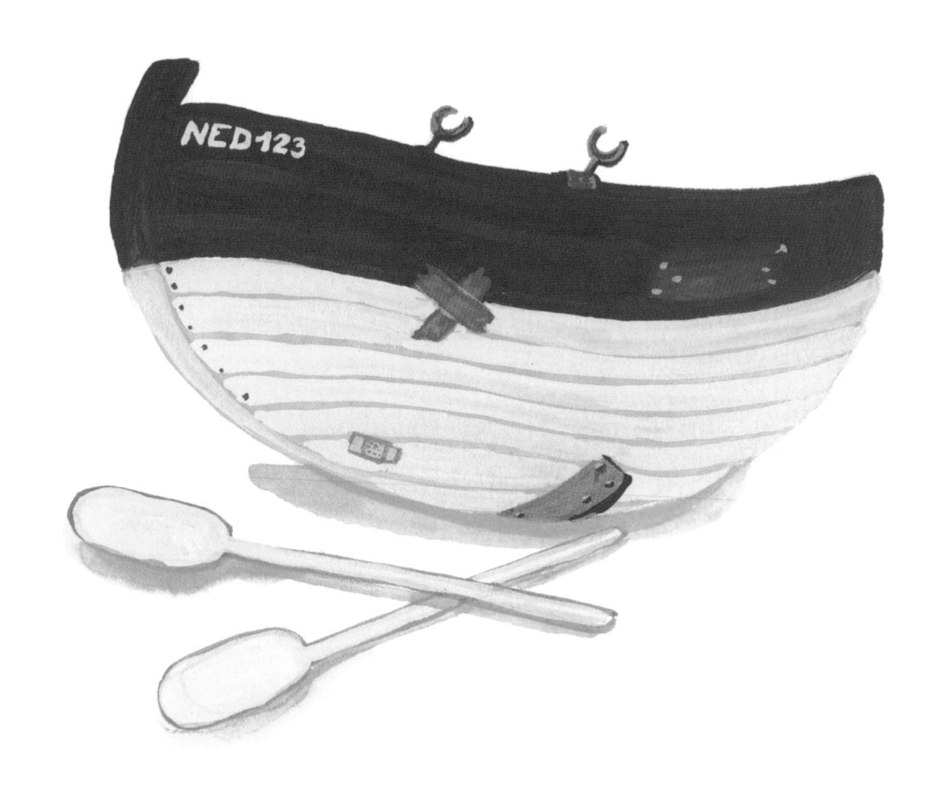
NED 123

Dyma'r cwch.

NED 123

Dyma Ned yn y cwch.

Dyma'r môr.

NED123

Mae cwch Ned ar y môr.

sblish
sblash

Sblish, sblash.

Mae cwch Ned ar y môr mawr.

NED 123

Mae'r môr yn mynd i fyny.
Mae'r môr yn mynd i lawr.

NED123

Mae cwch Ned yn mynd i fyny.
Mae cwch Ned yn mynd i lawr.

NED 123

Mae bol Ned yn mynd i fyny.
Mae bol Ned yn mynd i lawr.

NED 123
NED 123

I fyny, i lawr.
I fyny, i lawr.
I fyny, i lawr.

NED123

O na! Mae Ned yn sâl.

Druan o Ned y morwr!

Geiriau allweddol

Fedrwch chi adeiladu brawddeg?

Ned	cwch
morwr	ydy
dyma	yn y
sblish sblash	
môr	mae
ar y	mawr

O na!	druan
mynd	bol
i fyny	i lawr
Mae'r	Dyma'r
sâl	Mae
Dyma	Druan

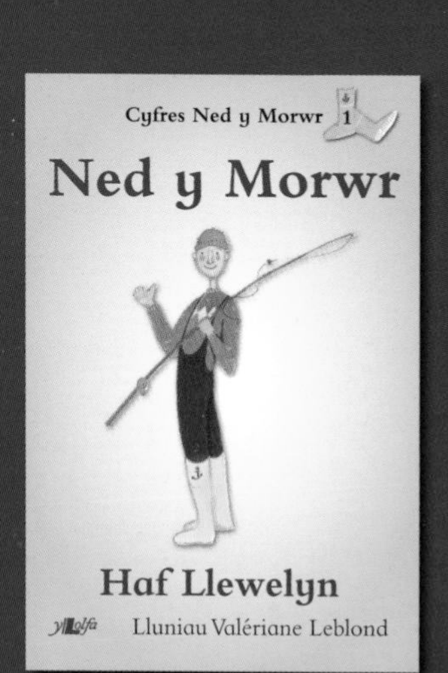
Cyfres Ned y Morwr 1
Ned y Morwr
Haf Llewelyn
y Lolfa
Lluniau Valériane Leblond

Cyfres Ned y Morwr 2
Ned a Moi Cnoi
Haf Llewelyn
y Lolfa
Lluniau Valériane Leblond

Cyfres Ned y Morwr 4
Moi a'r Siarc
Haf Llewelyn
y Lolfa
Lluniau Valériane Leblond

Cyfres Ned y Morwr 3
Ned a Moi yn Pysgota
Haf Llewelyn
y Lolfa
Lluniau Valériane Leblond

Cyfres Ned y Morwr 5
Paid, Taid!
Haf Llewelyn
y Lolfa
Lluniau Valériane Leblond

www.ylolfa.com